le club des chatons

♥ Plume ♥

Pour tous ceux qui ont un jour
rêvé d'avoir un chat.
S. M.

Titre original : *Honey's new friend*
Text copyright © Sue Mongredien, 2011
Illustrations copyright © Artful Doodlers, 2011
Photographie couverture © shutterstock, 2011
Publié par arrangement spécial avec Stripes Publishing Ltd
(Londres-Royaume-Uni), 2011
© Éditions Nathan (Paris-France), 2011
Loi n° 49-956 du 16 juillet 1949 sur les publications destinées à la jeunesse
ISBN : 978-2-09-253348-2

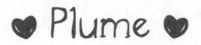

Sue Mongredien

Traduit de l'anglais par Anne Delcourt

Fais connaissance avec les filles du club !

Chloé
& Caramel

Mina
& Roméo

Violette
& Chaussette

Lou
& Plume

Jade
& Gribouille

Lili
& Filou

Chapitre 1

Assise sur le rebord de la fenêtre du salon, Lou Bennett surveillait la rue avec impatience.

On était samedi après-midi, le grand jour de la réunion du club des chatons. Cette semaine, elle avait lieu chez elle, et Lou attendait ses amies d'une minute à l'autre. Elle sourit à l'idée de la surprise qu'elle avait préparée pour les filles du club. Elles allaient adorer!

C'était aussi le début des vacances de la Toussaint. Pas d'école pendant dix jours! Lou allait pouvoir s'amuser autant qu'elle voulait avec Plume, sa petite chatte. Et sa mamie venait passer quelques jours. Ce serait génial!

Quelque chose lui chatouilla le pied. C'était Plume qui s'attaquait à ses orteils.

– Toi aussi, tu es pressée que tout le monde soit là, hein? lui dit-elle. Qui va arriver la première, à ton avis?

Lou la prit pour la caresser. Plume émit un petit bruit entre le miaulement et le ronronnement, mais presque aussitôt, elle aperçut une mouche qui bourdonnait contre la vitre. Elle se tortilla pour échapper aux mains de sa maîtresse et se précipita pour bondir dessus. Ce n'était pas son genre de se laisser câliner pendant des heures sans bouger. Elle n'arrêtait pas une seconde.

Puis le chaton repéra Ficelle, l'autre chatte de la maison, roulée en boule sur le canapé. Un bond suffisait pour la rejoindre. Plume s'aplatit, tremblante d'excitation, les yeux fixés sur la vieille chatte.

Juste à temps, Lou comprit ce que mijotait la chipie.

– Oh, non, non, non, petite coquine, lui dit-elle en se dépêchant de l'attraper. On ne saute pas sur Ficelle !

Elle caressa doucement sa petite tête toute douce. Le chaton leva vers elle de grands yeux verts innocents, comme si une telle idée ne

lui serait jamais venue à l'esprit. Lou gloussa. Plume adorait courir après Ficelle ou bondir sur sa queue. Elle voulait juste s'amuser ; après tout, ce n'était qu'un bébé. Mais Ficelle ne le prenait pas très bien, et ripostait le plus souvent par un grondement ou un coup de patte. En fait, c'était un miracle quand les deux chattes se trouvaient dans la même pièce sans se bagarrer.

Alors que le chaton repartait à la chasse à la mouche, Lou vit Mina remonter la rue avec son père. Toute contente, elle lui fit de grands signes par la fenêtre. Là-dessus, la mère de Violette arriva en voiture, avec Violette, bien sûr, et aussi Jade et Lili. Lou prit Plume dans ses bras et fila ouvrir. La réunion du club des chatons allait pouvoir commencer !

– Salut, tout le monde ! lança-t-elle à ses copines qui s'entassaient dans l'entrée. Ah, voilà le père de Chloé qui se gare ! Parfait, on est au complet !

Les six filles s'étaient rencontrées pendant l'été, le jour où elles choisissaient leur chaton à la ferme des Marronniers. Comme elles s'étaient tout de suite entendues, Lili avait proposé qu'elles se revoient... et le club des chatons était né.

– Salut, Lou, salut, Plume ! s'exclama Mina en accrochant son manteau à une patère. Qu'est-ce qu'il fait froid dehors !

– Et en plus, il pleut, grogna Chloé en rangeant ses bottes près du radiateur. Bonjour, tout le monde ! Salut, Plume... Mais tu gigotes tout le temps, toi !

– Je crois qu'elle a hâte que la réunion commence, dit Lou en riant. On s'installe dans le salon ?

Elle les fit entrer dans la pièce. Elle avait disposé des coussins par terre et descendu le gros pouf de sa chambre pour que tout le monde puisse s'asseoir en cercle. Son père l'avait aidée à préparer un plateau avec du jus

de fruit, une assiette de raisin et de petites
madeleines.

– Oh, on a Plume ET Ficelle avec
nous, aujourd'hui ! observa Lili.

Elle alla caresser la vieille
chatte endormie. Ficelle
ouvrit un œil et le referma
aussitôt.

Violette s'approcha à son
tour et haussa les sourcils :

– Elle paraît énorme ! On n'a plus l'habitude, à force de vivre avec des chatons. Les
chats adultes ont l'air de géants à côté d'eux !

– C'est ce que je me disais au début, quand
Plume est arrivée, confirma Lou en posant
le chaton par terre. Je trouvais que les pattes
de Ficelle ressemblaient à des poêles à frire à
côté des petits petons de Plume.

Le chaton se dirigeait en zigzags vers Jade,
assise sur un coussin. Intrigué par son bracelet de perles, il se mit à lui donner des petits coups de pattes.

– Attention à toi, Jade ! Attaque de chaton !

Jade caressa Plume en riant :

– Dis donc, coquine, c'est un bracelet, pas un jouet pour chat !

Les filles s'installèrent en cercle et Lou fit circuler l'assiette de madeleines.

– Miam, fit Chloé. Bon, on commence ? Où est notre album ?

Jade le sortit de son sac et l'ouvrit sur ses genoux.

– Il va bientôt être rempli, remarqua-t-elle en le feuilletant.

Chaque samedi, elles y écrivaient les dernières nouvelles de leur chaton et collaient dedans des photos ou des dessins. Il s'en était passé des choses, depuis leur rencontre pendant les grandes vacances !

Jade trouva enfin la première page vierge et inscrivit la date.

– Je fais l'appel, annonça-t-elle. Chat Perché ?

– Miaou ! lança Lou, en réponse à son nom de code.

– Bastet ?

– Miaaaou..., gronda Mina, avec un air menaçant qui fit rire tout le monde.

– Chamallow ?

– Mia... ouh ! répondit Violette en sursautant, parce que Plume venait de bondir sur l'ourlet de son jean.

– Catwoman ?

– MIAOU ! rugit Lili en faisant mine de lancer des coups de griffes.

Plume et Ficelle lui jetèrent un regard surpris, et les autres éclatèrent de rire. Lou était prête à parier que Lili ferait du théâtre plus tard. Ficelle cligna des yeux et se roula de nouveau en boule.

– Émeraude, reprit Jade.

– Miaou, dit Chloé.

– Et Patte de Velours, c'est moi, conclut Jade. Je déclare la réunion ouverte ! Quelles sont les nouvelles, cette semaine ?

– Alors... commença Violette.

C'est le moment que choisit Alex, le frère

jumeau de Lou, pour entrer en trombe avec son copain Max.

– Je vais te démolir ! disait-il. Je me suis entraîné à fond ! Allez, viens te faire dégommer !

Il alluma la télévision et la console de jeux, en ignorant totalement la présence des filles.

Lou se hérissa. Quel casse-pieds, cet Alex ! Il ne voyait pas qu'elles avaient besoin du salon ?

– Hé ! Je te signale qu'on a une réunion ! protesta-t-elle. Allez jouer ailleurs !

La télé se mit à brailler pendant que le jeu des garçons se chargeait. Alex s'obstinait à ignorer sa sœur. Il prit une manette, tendit l'autre à Max et ils s'affalèrent sur le canapé. Ficelle, dérangée, dressa les oreilles.

– Alex ! reprit Lou. Je te parle !

– Ouais, ouais, c'est ça, grogna son frère.

– Bienvenue dans... GUÉRILLA DANS LA JUNGLE ! beugla une voix de stentor dans le poste de télévision. Préparez-vous au combat !

Alex ricana en voyant Plume sauter sur ses pieds. Il se mit à brailler :

– Bienvenue dans GUÉRILLA DES CHATS!

Il ramassa le chaton et lui fit faire l'avion dans les airs.

– Ça va pas, la tête? s'écria sa sœur.

– Préparez-vous au combat! poursuivit Alex.

Et il déposa Plume sur le dos de Ficelle.

La vieille chatte gronda et balança un coup de patte furieux au chaton, qui faillit tomber du canapé dans sa hâte de s'enfuir. Les garçons s'esclaffèrent.

Lou alla ramasser Plume pour lui faire un câlin.

– Tu aurais pu lui faire mal! lança-t-elle à son frère, furieuse. Et en plus, tu embêtes Ficelle. Tu crois que je n'ai pas assez de mal à les empêcher de se battre? Merci bien!

Elle se tourna vers ses amies :

– Venez, les filles, on monte dans ma chambre. On a assez vu ces deux idiots.

– C'est ça! chantonna Alex dans son dos, d'une voix aiguë super énervante.

Lou monta l'escalier en tapant des pieds, Plume serrée contre sa poitrine.

– Quels CRÉTINS, ces garçons! grommelait-elle entre ses dents.

Chapitre 2

Une fois dans sa chambre, Lou continua à pester.

– Alex est totalement stupide ! rageait-elle en caressant Plume d'une main tremblante. Il faut toujours qu'il embête tout le monde ! Ça me rend dingue !

Violette, qui avait trois frères, glissa un

bras autour des épaules de Lou.

– Bah, laisse tomber! Les garçons ne sont que des andouilles, observa-t-elle.

Mina tendit à Lou son verre de jus de fruit, qu'elle lui avait monté, et Jade fit passer les madeleines.

– Merci, les filles, dit Lou, un peu calmée. Bon, reprenons là où on en était. Quelles sont les nouvelles?

Les membres du club échangèrent leurs histoires de chatons et les notèrent dans l'album.

– Et toi, Chat Perché? demanda Mina au bout d'un moment. Quoi de neuf cette semaine?

– Bof, grogna Lou en grattant son chaton sous le menton. Je passe mon temps à empêcher Plume et Ficelle de se battre. Plume veut seulement jouer, mais Ficelle n'a qu'une envie, c'est dormir. Du coup, Plume lui tape sur les nerfs.

Lili avait pris un air pensif.

– Tu sais, lui dit-elle, juste après la naissance

de Clara, ma petite sœur, je ne trouvais pas ça
génial. Papa et maman ne s'occupaient plus
que d'elle, j'avais l'impression qu'ils l'aimaient
plus que moi. Après, bien sûr, j'ai compris
qu'ils nous aimaient autant l'une que l'autre.
Ce que je veux dire, c'est que Ficelle a peut-
être besoin d'un peu plus d'attention, pour

être sûre que tu l'aimes toujours, elle aussi.

– Ça, c'est une bonne idée, approuva Lou. On s'occupe peut-être un peu moins d'elle depuis l'arrivée de Plume. Je vais faire super attention à partir de maintenant.

– Et tu pourrais aussi mettre un grelot au collier de Plume, suggéra Jade. Gribouille en a un, pour que les oiseaux puissent s'enfuir quand ils l'entendent approcher dans le jardin. Du coup, Ficelle serait prévenue quand Plume arrive.

– Encore une bonne idée ! fit Lou, dont le moral remontait. Merci, les filles. Je vais tester. Ça va peut-être m'aider à régler le problème.

On frappa à la porte et la mère de Lou passa la tête dans la chambre.

– Bonjour, tout le monde. Désolée de ne pas vous avoir saluées plus tôt, mais je rentre juste du travail. Lou, je suis prête pour faire tu sais quoi, quand tu voudras.

Lou sourit. Sa colère contre son frère lui

avait presque fait oublier la surprise qu'elle avait prévue avec sa mère.

– Super. On peut le faire tout de suite! Venez, les filles, on redescend!

– Qu'est-ce qui se passe? Où on va? demanda Mina en sautant du lit.

– Aha! répondit Lou d'un air mystérieux. Patience!

Elle conduisit ses amies à la cuisine, où la table était couverte de papier journal et de pots de peinture. Les filles poussèrent des « oooh! » d'excitation.

– Lou ne vous a peut-être pas dit, expliqua Mme Bennett, mais je donne des cours de peinture sur céramique. On a pensé que ce serait sympa de faire un atelier spécial club des chatons toutes ensemble. J'ai apporté des plaques de portes à décorer pour tout le monde, et de la peinture de toutes les couleurs. Je cuirai les plaques pendant la semaine et Lou vous les donnera à la prochaine réunion. Ça vous va?

– C'est super cool! s'exclama Mina, qui adorait peindre et dessiner. Merci beaucoup!

– Trop chouette! dit Chloé, les yeux brillants.

Les filles se mirent à l'œuvre. Jade choisit un fond rose et inscrivit sur sa plaque : « Fan de chatons » en grandes lettres argentées. Violette décora la sienne de rayures de maillot de football et y ajouta « Chambre de Violette », avec une frise d'empreintes de chat en dessous. Lou peignit sa plaque en bleu et précisa en gros dessus : « Interdit aux garçons ».

Elles travaillaient en bavardant, pendant que Plume courait comme une folle après une balle de ping-pong. Les filles se mettaient à rire chaque fois qu'elle les chatouillait en les frôlant.

– Qu'est-ce que vous faites, vous, pendant

les vacances? demanda Lili en plongeant son pinceau dans la peinture dorée. Nous, on part demain chez nos grands-parents pour quelques jours. Les voisins s'occuperont de Filou. Ils ont promis de lui faire plein de câlins. N'empêche qu'il va me manquer!

Elle prit un air dépité, et Lou sourit, amusée. Quelle comédienne, cette Lili!

– Moi, j'ai mes cousins qui viennent, dit Mina, qui ajoutait délicatement une frise violette sur sa plaque. Ils sont super sympas; et ils disent qu'ils ont hâte de voir Roméo.

– En plus, c'est Halloween à la fin de la semaine! rappela Violette d'un air excité. J'adore Halloween! Au fait, si on faisait une réunion spécial Halloween samedi prochain? Je suis sûre que ma mère serait d'accord pour qu'on la fasse chez moi.

– Oooh, ce serait cool! s'exclama Lou. On pourrait se déguiser!

– Mamie serait sûrement ravie de t'aider à fabriquer ton costume, intervint sa mère, qui

avait suivi la conversation. Elle est très douée en couture.

– Bonne idée, maman, lui répondit Lou avec un grand sourire.

– Et on pourrait jouer à plein de jeux d'Halloween ! suggéra Chloé avec enthousiasme.

– Et raconter des histoires de fantômes ! ajouta Jade.

Tandis qu'elles lançaient des idées d'activités pour la fameuse réunion, Ficelle se glissa dans la cuisine, visiblement en quête d'un coin tranquille. Plume bondit aussitôt vers elle et la vieille chatte sursauta. Elle gronda en hérissant sa queue et fila par la chatière. Comme il pleuvait toujours, elle se réfugia tristement sous un buisson.

– Pauvre Ficelle, dit Lou en la regardant par la fenêtre.

Dire que sa chatte préférait encore être dehors sous la pluie que de rester à la maison avec Plume ! Lou se fit une promesse : son grand plan des vacances de Toussaint serait de s'occuper de Ficelle et de réconcilier les deux chattes. Elle brosserait l'épaisse fourrure grise de Ficelle tous les jours et lui achèterait des friandises pour son dîner. L'opération Chats Copains commençait tout de suite !

Chapitre 3

Au dîner, Lou exposa à sa famille ses plans pour rétablir la paix et, pourquoi pas, créer une amitié entre Plume et Ficelle.

– Ça me paraît être une excellente idée, approuva sa mère. Comme c'est les vacances, tu vas avoir du temps pour jouer avec Plume. Ça permettra à Ficelle d'avoir la paix.

– Demain, je vais acheter un collier avec un grelot, annonça son père. Même pour nous, ce sera utile. Plume m'a encore sauté dessus tout à l'heure ; ça m'a tellement surpris que j'ai failli me casser la figure !

Lou agita sa fourchette en direction d'Alex, qui n'avait pas encore ouvert la bouche.

– Et toi, ce serait sympa de ne pas aggraver la Guérilla des Chats, lui dit-elle sèchement. On n'a pas besoin de ça.

– Ouais, ouais, c'est ça... marmonna son frère.

DIMANCHE

Aujourd'hui, lancement de l'opération Chats Copains !

Papa a acheté un collier à grelot à Plume, et elle fait ding ding partout où elle va. Dès qu'elle l'entend, Ficelle dresse les oreilles et part en courant. Enfin, c'est toujours mieux que si elles se battaient !

J'ai passé des heures à jouer avec Plume, c'était super ! J'ai fait des sortes de tunnels dans des vieux journaux et elle s'est amusée comme une folle à passer dedans... et ensuite, à les déchiqueter d'un air féroce. Elle m'a trop fait rire. Après, elle était tellement épuisée qu'elle s'est endormie d'un bloc sur mon lit. J'en ai profité pour aller brosser Ficelle, en prenant tout mon temps. Elle ronronnait comme une locomotive.

Mamie arrive ce matin. J'ai hâte de lui présenter Plume la tigresse !

Ding dong!

– Tu peux aller ouvrir, Lou? lui demanda sa mère. Je suis au téléphone.

– J'y vais! répondit Lou en sautant du canapé où elle jouait avec Plume.

Elle ouvrit la porte et son visage s'illumina.

– Mamie! s'exclama-t-elle en se jetant dans les bras de sa grand-mère.

Celle-ci la serra très fort contre elle. Elle sentait toujours bon la lavande et les bonbons à la menthe, et c'était la championne des câlins!

– Bonjour, ma Lou chérie, lui dit-elle. J'ai des tas de projets d'activités pour nous deux… et j'ai même apporté mon sac à malice!

Lou sourit. Sa mamie faisait partie de ces gens qui ont toujours mille choses à faire. Elle ne pouvait pas regarder la télé sans coudre ou tricoter. Son « sac à malice » était une malle aux trésors remplie de toutes sortes de merveilles : boutons fantaisie, rubans de soie, carrés de tissus, fil de toutes les couleurs…

– Je sens qu'on va bien s'amuser! répondit

Lou. Tu crois qu'il y aurait de quoi fabriquer un costume d'Halloween dans ton sac à malice?

Des étincelles s'allumèrent dans les yeux de sa grand-mère.

– Oh, ça peut peut-être se trouver. Mais d'abord, si tu me présentais ton chaton? J'en ai tellement entendu parler!

Alors qu'elles entraient dans le salon, Ficelle, exaspérée, quittait la pièce en flèche, poursuivie par Plume.

– Oh, Plume! soupira Lou en l'attrapant.

Ficelle fila dehors, où il s'était remis à pleuvoir. Lou se tourna vers sa grand-mère avec un petit sourire triste.

– Comme tu vois, ça n'est pas le grand amour! Mais j'essaie d'arranger ça.

À cet instant, sa mère arriva pour accueillir mamie, suivie d'Alex qui traînait les pieds.

Puis ce fut l'heure de passer à table. Ficelle était toujours sous la pluie et Lou avait de la peine pour elle. Elle allait devoir renforcer son plan Chats Copains!

MERCREDI

Au secours ! Il n'arrête pas de pleuvoir depuis lundi. Hier, mamie nous a emmenés au cinéma et ce matin, on est allés à la piscine. Mais le reste du temps, on est bloqués à la maison. Alex est insupportable. Il râle toute la journée en disant qu'il s'ennuie.

Avec mamie, on a fait un chapeau de sorcière en carton et on l'a recouvert de papier crépon noir qu'elle avait dans son sac à malice. Je l'ai décoré avec des lunes et des étoiles argentées, il est super chouette. Mamie dit qu'on peut acheter du tissu noir brillant la prochaine fois qu'on ira faire les courses, pour coudre une robe et une cape. Mais il faudrait d'abord qu'il arrête de pleuvoir !

Cet après-midi, on a préparé des cookies. Comme Alex mangeait toutes les pépites de chocolat, je lui ai dit d'arrêter, et là, il a piqué sa crise et m'a balancé une poignée de farine.

Mamie l'a grondé et il est parti en boudant.

Et tout d'un coup, il s'est mis à hurler : « Guérilla des Chats ! ». Il avait déclenché une bagarre entre Plume et Ficelle ! Je l'aurais bien étranglé.

Le pire, c'est qu'en voulant séparer les chats, j'ai reçu un coup de griffe de Ficelle. Ça fait super mal ! Je le sens encore. Tout ça à cause de mon crétin de frère ! Une chance que Ficelle adore mamie. Tous les soirs, elle se roule en boule sur ses genoux et elle ronronne pendant des heures, pendant que je joue avec Plume. Du coup, mamie participe à l'opération Chats Copains. Pas comme Alex !

Le jeudi, la pluie avait cessé et mamie put emmener Lou et Alex au parc, où ils retrouvèrent des copains de classe. Enfin, le vendredi, ils allèrent dans un magasin qui vendait toutes sortes de tissus. Lou en trouva un noir parsemé de toutes petites étoiles dorées.

– Regardez! dit-elle en brandissant le rouleau de tissu. Celui-là serait génial pour mon costume de sorcière!

– Tu seras parfaite en sorcière, lâcha Alex, ce qui lui valut un coup de pied de sa sœur.

– Hé, mamie! Elle m'a donné un coup de pied!

Leur grand-mère leva les yeux au plafond.

– Franchement, répondit-elle, il nous faudrait aussi une baguette magique pour vous empêcher de vous disputer !

De retour à la maison, mamie prit les mesures de Lou et dessina un patron sur le tissu noir. Lou l'aida à le découper et trouva dans les trésors de sa grand-mère un gros bouton noir parfait pour sa cape.

– Tu vas voir, lui dit sa grand-mère avec un clin d'œil en glissant du fil dans une aiguille. Tu vas être la sorcière la plus chouette du village !

– Et toi, tu es la grand-mère la plus géniale du monde, lui murmura Lou en l'embrassant.

En fin d'après-midi, Lou alla goûter chez Chloé. Elle n'était pas fâchée de s'éloigner un peu de son frère. Chloé était nouvelle dans le village, mais elles se retrouvaient tous les week-ends au cours d'équitation, et plus Lou la connaissait, plus elle l'appréciait. Et Caramel, son chaton tout roux, était vraiment adorable !

Elles montèrent dans la chambre de Chloé, suivies par le chaton.

– Alors, ça y est ? Ton costume d'Halloween est prêt ? lui demanda Chloé dans l'escalier.

– Presque ! dit Lou. Ma grand-mère m'aide à le coudre. Je me déguise en sorcière. Et toi ?

– Attends, je vais te montrer, répondit Chloé en entrant dans sa chambre. Ferme les yeux, je vais te faire la surprise. Caramel, toi aussi, tu fermes les yeux, hein ? On ne triche pas !

Lou obéit ; mais pas le chaton, à en juger par les protestations de Chloé :

– Arrête, Caramel ! couinait-elle. Bas les pattes !

Enfin, Lou entendit le zip d'une fermeture éclair.

– C'est bon, tu peux regarder !

Lou rouvrit les yeux et la dé-couvrit vêtue d'un costume de chat en velours noir, avec une longue queue attachée dans le dos. Chloé se mit à quatre pattes et an-nonça triomphalement :

– Et maintenant... la touche finale !

Et elle glissa un masque de chat sur ses yeux.

– Miaou !

Caramel, qui reniflait le costume avec curiosité, poussa un miaulement surpris. Il recula d'un bond, si brusquement qu'il retomba dans une pirouette. Ses grands yeux bleus écarquillés, il sortit de la chambre à toute allure.

Chloé et Lou éclatèrent de rire.

– Ah lala ! bredouilla Chloé. Le pauvre Caramel ! À voir sa tête, il m'a vraiment prise pour un chat géant ! Je ferais mieux d'enlever mon déguisement.

– Il est génial, ton costume ! s'exclama Lou sans cesser de rire. En plus, maintenant, on sait que même les chats s'y laissent prendre. Je vais chercher Caramel. Je crois qu'il a besoin d'être rassuré !

Elle sortit de la chambre en appelant le chaton, et le trouva sur le palier. Il parut soulagé de la voir et vint se frotter contre ses jambes.

– Tout va bien, lui dit Lou en le prenant dans ses bras. Ne t'inquiète pas, le gros chat est parti.

Mais dès qu'elle rentra dans la chambre, elle sentit qu'il se raidissait. Il tourna la tête de tous côtés à la recherche du monstre-chat avant de se décider à sauter par terre. Puis il alla renifler dans tous les coins d'un air méfiant.

Chloé, qui s'était changée, le caressa tendrement.

– Ne t'en fais pas, mon minou. Il n'y a pas d'autre chat que toi ici.

Caramel ferma les yeux et se mit à ron-ronner avec délices. Lou ne put s'empêcher de penser que ça devait être chouette d'être le seul chat dans une maison. Ficelle serait trop jalouse si elle le voyait !

Chapitre 4

– Voilà ! dit mamie en posant le chapeau de sorcière sur la tête de Lou. Qu'en penses-tu ?

Lou se regarda dans le grand miroir de la chambre de ses parents et sourit jusqu'aux oreilles. On était samedi après-midi et son déguisement était prêt pour la réunion spéciale Halloween du club des chatons.

Elle portait la robe et la cape que sa grand-mère avait cousues dans le tissu noir brillant, avec des collants à rayures noires et violettes. Sa mère lui avait prêté une perruque de longs cheveux noirs empruntée à une amie, qui cachait entièrement ses cheveux blonds. Un faux nez en plastique complétait sa tenue.

– J'adore ! s'exclama Lou en pouffant devant son reflet. Je ne me reconnais pas du tout ! Je suis... effrayante !

– Vas-y, fais-nous un ricanement de sorcière ! demanda sa mère, amusée.

Lou se tourna vers elle avec une horrible grimace :

– Hin hin hin HIN ! ricana-t-elle.

Sa mère et sa grand-mère éclatèrent de rire.

– Attends, je vais ajouter la touche finale, dit sa mère en prenant un crayon à paupières marron.

Elle se pencha sur le visage de sa fille et dessina des ronds autour de son nez et sur son menton.

– Il ne te manquait que les verrues. Tu es parfaite ! s'exclama-t-elle.

– Tiens, voilà quelqu'un qui vient inspecter ton costume, dit mamie.

En effet, Plume entrait lentement dans la chambre d'un air intrigué.

En voyant sa jeune maîtresse, elle s'arrêta

net avec un petit miaulement de surprise, comme si elle ne la reconnaissait pas.

– C'est moi, bêta ! Regarde ! fit Lou en riant.

Et elle retira son faux nez pour le lui montrer.

Sa grand-mère sourit :

– Dommage que tu ne puisses pas l'emmener avec toi ! Avec un chat, ton déguisement serait vraiment complet.

– Chloé pourra la remplacer, avec son costume de chat, intervint Mme Bennett. Bon, où ai-je mis les plaques en céramique du club des chatons ? Laisse-moi le temps de les retrouver et tu pourras y aller.

Lou fit une dernière caresse à Plume.

– Sois sage pendant que je ne serai pas là, lui ordonna-t-elle. Et laisse Ficelle tranquille !

– Je garderai un œil sur elles deux, promit sa grand-mère. Tu peux compter sur moi pour l'opération Chats Copains !

M. Bennett déposa Lou et Mina (qui s'était déguisée en sorcier, sans oublier la barbe) devant chez Violette. La réunion commençait un peu plus tard que d'habitude, parce que la mère de Violette avait proposé qu'elles restent ensuite pour un buffet spécial Halloween. Lou sonna en trépignant d'impatience. C'était toujours génial de retrouver ses amies du club, mais c'était encore mieux quand il y avait une fête !

Violette vint leur ouvrir... et Lou et Mina éclatèrent de rire. Elle avait mis une robe orange vif sur des collants verts et portait un masque de citrouille, avec des trous en forme de triangle pour les yeux et des dents découpées de travers.

Violette pouffa sous son masque.

– Vous êtes super ! s'exclama-t-elle. Entrez ! Les autres sont dans la cuisine avec Chaussette. Elle s'amuse comme une folle avec la queue de Chloé.

Dans la cuisine se trouvaient un fantôme

(qui portait les mêmes chaussures que Jade) et un squelette (qui riait tout à fait comme Lili) occupés à piocher dans les biscuits apéritifs, ainsi que deux chats : un très gros, à peu près de la taille d'une fille de huit ans, et un tout petit au pelage tigré.

– Salut, tout le monde ! lança Lou. Wouah, Lili, il faut que tu manges plus de biscuits apéritifs ! On ne voit que tes os !

Effectivement, Lili, déguisée en squelette, avait des os dessinés partout sur son justaucorps.

– Ne t'en fais pas pour moi, répondit-elle en riant. J'ai toute la soirée pour manger. À moins que je prenne une bonne tranche de cette citrouille que je vois derrière toi. Maintenant que tu le dis, j'ai un petit creux !

En riant, Lou posa délicatement sur la table le carton qui contenait les plaques décorées.

– Surprise ! fit-elle en soulevant le couvercle.

Les filles s'attroupèrent autour d'elle tandis qu'elle déballait les plaques pour les distribuer.

– Elles sont magnifiques ! s'exclama Mina, admirative.

Puis elle fut prise d'une crise d'éternuements.

– Désolée, reprit-elle. Il doit y avoir de la poussière dans cette barbe. Ou alors je... atchoum... suis en train de m'enrhumer.

Comme toujours, la réunion débuta par l'appel et par le récit des dernières nouvelles.

Chaussette ronronnait, confortablement installée sur les genoux de Chloé. Celle-ci fit rire tout le monde en s'amusant à replier sa longue queue autour du chaton.

– Eh bien, Chaussette, dit Chloé, on peut dire que tu es plus courageuse que Caramel. Il a totalement paniqué quand il m'a vue en chat. Pas vrai, Lou?

– Il était terrifié, confirma celle-ci. Alors que Chaussette, pas du tout. J'ai même l'impression qu'elle t'a choisie comme nouvelle meilleure amie, Chloé.

– Au fait, Roméo aussi s'est fait une nouvelle amie, annonça Mina. Les voisins ont une chatte noir et blanc qu'il adore. Dès qu'il l'aperçoit, il se met à courir partout, à grimper aux arbres, à essayer d'escalader la barrière... Un vrai frimeur. À mon avis, il est amoureux.

– Ohhh, fit Lou, attendrie, c'est trop mignon! Nous aussi, on a un chat près de chez nous. Un gros matou qui s'appelle Nero. Mais il n'est pas très sympa. Ficelle et Plume ne l'aiment pas beaucoup. Au moins, là-dessus, elles sont d'accord.

Puis Lili sortit une photo qui montrait son chaton Filou en train de batifoler dans son jardin, au milieu d'un énorme tas de feuilles mortes.

– Son grand jeu, c'est d'attraper les feuilles au vol quand elles tombent des arbres. Et dès que mes parents commencent à les ramasser, il veut participer et il saute sur toutes celles qu'ils oublient. Il me fait craquer.

– Gribouille aussi adore ça, intervint Jade.

Comme elle ne voyait pas grand-chose à travers les trous du drap qui lui couvrait la tête, elle l'enleva et l'enroula autour de ses épaules avant de continuer :

– Maintenant qu'il n'a plus peur d'aller dehors, il court dans tous les sens dès qu'un coup de vent fait tomber les feuilles.

– Chez moi, le jeu préféré de Plume, c'est

d'embêter Ficelle, fit Lou avec une grimace. Elle trouve ça bien plus marrant que les feuilles d'arbre.

Elle soupira et cala son menton dans le creux de sa main.

Violette, assise à côté d'elle, vit la griffure sur son poignet.

– Dis donc, qui est-ce qui t'a fait ça ? demanda-t-elle,

– C'est Ficelle, répondit Lou. J'ai pris un coup de griffe en essayant de les séparer. Mon grand plan pour les vacances, c'était de les aider à se réconcilier. J'ai même baptisé ça l'opération Chats Copains. Pour l'instant, c'est plutôt l'opération Chats Vilains, oui.

– Oh lala, souffla Chloé d'un ton compatissant. C'est triste que ça se passe comme ça.

Lou acquiesça d'un hochement de tête.

– J'ai beau me dire que Plume va se calmer en grandissant, je ne sais pas si je tiendrai jusque-là.

Chapitre 5

À cet instant, la mère de Violette entra dans la cuisine.

– Bon, et si on faisait des activités? proposa-t-elle aux filles.

Elle déposa six pommes dans une bassine remplie d'eau, qu'elle plaça au milieu de la table.

– Qui veut jouer au jeu des pommes flottantes?

– Moi! s'écrièrent les six amies en chœur, faisant sursauter Chaussette.

– Ce sera peut-être plus facile si j'enlève mon nez, observa Lou en riant.

C'était un jeu génial, mais pas si évident que ça. Elles mirent toutes un bon moment à mordre dans une pomme et à la sortir de l'eau avec les dents... et tout le monde, même Chaussette, se fit éclabousser au passage.

Puis elles durent essayer de manger des chamallows accrochés à une ficelle. Là encore, c'était plus facile à dire qu'à faire, parce que la ficelle bougeait dès qu'elles y touchaient. Chaussette, fascinée par le mouvement des guimauves, restait assise devant, à les fixer de ses grands yeux. À la fin, la barbe de sorcier de Mina était toute collante de sucre.

Puis les filles allèrent jouer à la Maison Hantée dans le salon. À tour de rôle, chacune devait se mettre un bandeau sur les

yeux pendant que les autres essayaient de lui faire peur. Quand ce fut le tour de Lou, elle ne put se retenir de pousser des petits cris en entendant des bruits bizarres et en sentant de drôles de choses lui frôler le visage.

Elles venaient de s'arrêter lorsqu'un concert de voix s'éleva dans l'entrée de la maison, mêlé d'aboiements énergiques.

– Aïe, fit Violette. Les garçons sont de retour du foot et Alfred aussi.

La porte du salon s'ouvrit, et un gros chien aux poils roux clair déboula en remuant la queue d'un air amical.

– Salut, Alfred ! lui dit Lili en le caressant.

Le chien lâcha un petit aboiement sourd à la vue de Chaussette, comme pour lui dire bonjour. Mais aussitôt, le chaton quitta la pièce et on entendit retomber la chatière. Violette soupira :

– Et voilà, au revoir Chaussette. Et bonjour le bruit et les garçons !

– À table ! appela Mme Miller.

Un superbe buffet d'Halloween les attendait à la cuisine. Il comprenait des doigts de sorcière (des petites saucisses), de la pizza au sang (tomate-fromage) et des yeux de trolls (des olives) et, pour le dessert, des biscuits aux mouches écrasées (des cookies aux pépites de chocolat) et des bébés fantômes (en meringue).

Les frères de Violette s'étaient engouffrés derrière elles et dévoraient déjà les plats des yeux. L'aîné tendit la main vers un bol de « peaux de lutins séchées » (des chips).

– On ne touche pas, Marc ! l'arrêta sa mère.

Ce buffet-ci est pour les filles. Vous aurez le vôtre plus tard. Allez plutôt prendre une douche, vous êtes dégoûtants!

– Oh, m'man! protestèrent les garçons en sortant de la pièce.

– Et toi, Alfred, ne chipe pas les croquettes de Chaussette! reprit Mme Miller en le chassant. Ah lala, ces chiens et ces garçons, tous pareils! Ils ne pensent qu'à manger!

– On a entendu! répliqua une voix depuis le couloir.

Lou se régala. En rentrant chez elle, elle se dit qu'elle avait de la chance de faire partie du club des chatons. Elle avait les plus chouettes amies du monde et elles ne s'ennuyaient pas une seconde, toutes les six. Elle n'avait plus qu'à persuader ses deux chattes d'être amies aussi, et tout serait parfait!

DIMANCHE

Vive Halloween ! Je reviens de la tournée des bonbons, et ça a été GÉNIAL ! Tous les enfants de ma rue étaient sortis déguisés. Plume a même fait un bout de chemin avec moi, comme un vrai chat de sorcière.

Mamie est partie tout à l'heure. J'aurais voulu qu'elle reste plus longtemps ! Elle est super, et elle m'a bien aidée avec les chattes. Demain, pas de bol, fini les vacances ! BOUH !
En plus, je ne verrai plus Plume de la journée...

Le lundi matin, Mina n'était pas à l'école. À la récréation de dix heures, Lou alla trouver sa grande sœur Sunita, qui lui dit que Mina était restée à la maison avec un gros rhume. Lou était déçue : elle était devenue très amie avec Mina depuis la création du club des chatons.

L'après-midi, il fallait se mettre par deux pour travailler sur un dossier en orthographe. Manque de chance, Mme Garcia, la maîtresse, l'obligea à faire équipe avec la fille la moins sympa de la classe.

– T'es vraiment trop nulle, lui répétait Georgia bien fort. C'est pas vrai, tu ne sais pas écrire ou quoi ? T'es bête ou tu le fais exprès ?

C'était horrible. Lou réussit à grand-peine

à garder son calme, et poussa un soupir de soulagement à la fin de la classe. Elle rentra à pied, avec son père et son frère. De retour chez elle, elle trouva les chattes en pleine bagarre sur le carrelage de la cuisine.

– Hou là, ça chauffe ici, commenta Alex en observant le spectacle.

Mais Lou s'alarma. C'était une grosse bagarre, même pour Plume et Ficelle. Que devait-elle faire? Elle aurait voulu les séparer, mais elle ne tenait pas à se faire griffer une deuxième fois!

Alors qu'elle hésitait, Plume poussa un cri de douleur et battit en retraite, comme si elle avait été blessée. Tandis que Ficelle filait par la chatière, Lou se précipita pour prendre le chaton et s'écria:

– Oh, non! Regardez!

Chapitre 6

M. Bennett se pencha sur la pauvre Plume, qui saignait juste au-dessus de l'œil.

– C'est une vilaine blessure, observa-t-il. Il vaut mieux l'emmener chez le vétérinaire.

Rien qu'à la vue de l'égratignure, Lou se sentait mal. Quelques millimètres plus bas et c'est l'œil de Plume qui aurait été touché !

– Plume, il faut que tu arrêtes d'embêter Ficelle, la sermonna-t-elle en la mettant dans sa caisse de transport. Je suis sérieuse. Je sais que tu fais ça pour jouer, mais tu DOIS la laisser tranquille. Sinon...

Lou se mordit la lèvre. Elle ne voulait pas imaginer ce qui finirait par se passer « sinon »...

Les jumeaux et leur père emmenèrent Plume chez le vétérinaire. Coup de chance, il n'y avait pas beaucoup de monde et il les reçut rapidement. Il prescrivit une pommade pour éviter l'infection, et dit que la blessure devrait cicatriser sans problème.

– Mais comment peut-on empêcher des chats de se battre ? lui demanda Lou.

Elle lui expliqua qu'ils avaient mis un collier à grelot à Plume pour que Ficelle puisse l'éviter, et qu'ils essayaient d'être attentifs à la vieille chatte, mais que ça ne marchait pas.

– Vous avez fait ce qu'il fallait, lui assura le vétérinaire. Vous pouvez essayer de les asperger d'eau quand elles se battent. Les chats ont horreur de ça. Au moins, ça te permettrait de les séparer sans te faire griffer. Et on ne sait jamais, au bout de deux ou trois fois, ça peut leur ôter l'envie de se battre.

– Cool, dit Alex. Ça tombe bien, j'ai un pistolet à eau.

Lou leva les yeux au plafond. Jusqu'où pouvait aller la bêtise de son frère ? Mais au moins, il allait peut-être l'aider à stopper les bagarres au lieu de les encourager...

MERCREDI

La blessure de Plume est presque guérie. Ouf !
Mais les choses ne s'arrangent pas du tout avec
Ficelle. Plume ne peut pas s'empêcher de lui sauter
dessus, Ficelle l'envoie balader, et c'est reparti !
Avec Alex, on est devenus les champions du
pistolet à eau. Quand on les asperge, elles arrêtent
tout de suite. Bon, maman s'est fâchée TRÈS
FORT quand Alex a inondé le canapé en les
arrosant au salon. Elle nous a interdit d'utiliser
le pistolet à eau dans la maison. Oups !

Bonne nouvelle, Mina revient en classe demain.
PAS TROP TÔT ! J'en avais carrément marre
de devoir travailler avec Georgia.

Le jeudi, après l'école, Lou invita Mina à goûter. C'était une belle journée de novembre. Elle remirent leurs manteaux et emmenèrent Plume dans le jardin pour profiter du soleil.

– Au moins, pendant ce temps-là, Ficelle aura la paix, remarqua Lou. Tu viens, Plumette ?

Comme Lili et Jade avaient raconté que leurs chatons adoraient jouer avec les feuilles mortes, elle en ramassa une poignée qu'elle laissa retomber en flottant devant Plume.

La petite chatte frémit d'excitation. Elle s'aplatit, fit tortiller son derrière et bondit comme un ressort sur la feuille la plus proche. Puis elle roula sur le côté en la frappant frénétiquement de ses pattes arrière.

Les filles la regardaient en riant.

– On dirait qu'elle se prend pour un tigre ! dit Mina. Ils sont trop drôles quand ils font ça.

À son tour, elle prit une poignée de feuilles et les lança en l'air.

– Attrape, Plume ! lui cria-t-elle.

La petite chatte sautait d'une feuille à l'autre, comme si sa mission était de ne pas en rater une seule. Tout à coup, elle s'immobilisa, le dos rond, la queue dressée et hérissée.

– Qu'est-ce qui se passe ? demanda Lou.

En se retournant, elle comprit. Nero, le gros matou du quartier, se tenait sur le mur du jardin.

– Va-t'en ! lui lança-t-elle en le chassant d'un geste de la main. Allez, pars !

Mais Nero, sans bouger, continuait à fixer Plume en plissant des yeux.

– Je vais chercher le pistolet à eau, décida Lou. Je reviens tout de suite, Mina.

Mais Alex, ayant aperçu Nero par la fenêtre de la cuisine, s'était déjà emparé du pistolet pour les rejoindre.

– Arrosage de chat! hurla-t-il en aspergeant tout sur son passage.

En quelques secondes, Nero avait disparu du mur et les filles étaient trempées, ainsi que la pauvre Plume. Après un regard terrifié à Alex, le chaton fila se réfugier dans l'arbre le plus proche.

– Alex! s'écria, Lou, furieuse. Regarde ce que tu as fait!

– Allez, Plume, redescends! C'est fini! dit Mina au chaton.

Lou se joignit à elle, mais rien à faire. Non seulement Plume refusait de descendre, mais elle s'éloignait de plus en plus, grimpant toujours plus haut.

– La pauvre, elle tremble de froid, maintenant, dit Lou, consternée. Décidément, Alex est un crétin. Allons chercher mon père pour qu'il l'attrape.

M. Bennett réussit à récupérer Plume à l'aide d'une échelle. Les filles la ramenèrent à l'intérieur et la séchèrent en la frottant doucement avec une serviette. Mais Plume eut du mal à se remettre de ses émotions. Elle passa le reste de la journée craintivement collée à sa maîtresse. Lou était furieuse contre son frère. Sous prétexte de se montrer utile, il n'avait réussi qu'à aggraver les choses !

Chapitre 7

En se réveillant le vendredi matin, Lou n'avait toujours pas digéré la bêtise de son frère. Décidément, il faisait toujours n'importe quoi! Elle ne lui adressa pas la parole pendant le petit déjeuner, ni sur le chemin de l'école.

Ce matin-là, le programme de la classe

était un peu spécial. Comme ils étudiaient les Romains, Mme Garcia leur faisait préparer une pièce de théâtre sur une famille romaine. Lou tenait le rôle de Flavia, l'une des esclaves de la famille. Et évidemment, Georgia avait été choisie pour jouer Claudia, la maîtresse de Flavia. Le personnage n'était pas très sympathique, mais Georgia réussissait à la rendre encore plus désagréable.

Dans la première scène, Lou devait aider Georgia à enfiler sa toge. Georgia, le nez en l'air, levait les yeux au plafond pendant que Lou s'empêtrait dans le drap blanc.

– Plus vite, esclave, plus vite ! la houspilla Georgia.

Puis elle ajouta d'un air méprisant :

– Ah, cette esclave est une incapable. Pas étonnant que personne d'autre n'ait voulu d'elle !

– Hé ! protesta Lou. Le texte ne dit pas ça !

– Respecte les dialogues, s'il te plaît, Georgia, intervint Mme Garcia en levant le nez de sa feuille. Reprenez.

Après avoir habillé sa maîtresse, Lou l'esclave devait lui apporter un petit déjeuner romain. Mina, qui était l'une des récitantes, annonça :

– Au petit déjeuner, les Romains mangeaient du pain, du miel et des fruits. Dans les familles riches, il y avait parfois du fromage et des olives. Les esclaves buvaient de l'eau et mangeaient du pain sec.

– Plus vite que ça, esclave ! ordonna Georgia. Un peu de nerf !

– Ce n'est pas dans le texte, Georgia, la reprit sèchement Mme Garcia. Joue ton rôle comme il faut.

Lou sentit la colère monter en posant son plateau en plastique. Cette Georgia était carrément odieuse.

Et ça continua pendant la récréation. Georgia n'arrêtait pas de l'appeler « esclave » en ricanant avec ses copines.

– Esclave, viens refaire mon lacet ! lui lança-t-elle.

Puis, un peu plus tard :

– Esclave, je suis toute décoiffée, viens me brosser les cheveux ! Tout de suite, ou tu es renvoyée !

– Ne t'occupe pas d'elle, lui chuchotait Mina. Elle est stupide !

Lou faisait de son mieux pour l'ignorer, mais apparemment, Georgia s'amusait trop pour s'arrêter :

– Hé, esclave, qu'est-ce que tu as apporté pour ton goûter aujourd'hui ? En tant que maîtresse, je t'ordonne de me donner tes biscuits !

– Dans tes rêves, répliqua Lou, sur le point de s'énerver. Viens, Mina, on va jouer ailleurs.

– Esclave, ne m'oblige pas à te punir, insista Georgia.

Elle vint se planter en face de Lou avec sa bande de copines, qui souriaient toutes d'un air mauvais.

– Tu sais ce qui arrive aux esclaves désobéissants ? continua Georgia. Ils se font fouetter ou...

Elle se tut brusquement. Alex venait de surgir en serrant les poings.

– Laisse-la tranquille, lui ordonna-t-il. Si tu lui parles encore une fois comme ça, je t'assure que tu vas le regretter.

Sous les yeux étonnés de Lou, Georgia pâlit et regarda ses pieds. Alex était populaire, et visiblement, elle n'avait pas envie de se le mettre à dos. Elle s'éloigna, suivie de ses copines. Alex jeta un coup d'œil vers sa sœur.

– Ça va? lui demanda-t-il.

Lou battit des paupières. Elle ne s'était pas encore remise de sa surprise.

– Ouais. Heu, merci.

– Pas de quoi, marmonna son frère, avant de retourner jouer au foot avec ses copains.

– Hou, fit Mina. Il l'a remise à sa place.

Lou hocha la tête en silence. Elle n'avait pas l'habitude d'être soutenue par son frère. Ça lui faisait tout drôle ! Et à vrai dire, ça n'était pas désagréable.

De retour à la maison, Lou monta répéter son texte dans sa chambre. Même si Alex avait cloué son bec à Georgia, elle ne voulait pas avoir un trou de mémoire et passer pour une idiote devant elle pendant la pièce. Mais elle avait du mal à se concentrer. Elle tournait sans cesse les yeux vers la fenêtre, d'où elle voyait Plume gambader dans le jardin. En souriant, elle la regarda se faire les griffes sur le tronc d'un pommier, explorer les buissons et donner des coups de pattes à une touffe d'herbe qui dansait au vent.

Le sourire de Lou s'évanouit à la vue de Nero qui bondissait sur le mur de leur jardin. Plume le vit à son tour, et battit aussitôt en retraite.

Lou cogna à la fenêtre dans l'espoir de chasser Nero, mais il ne parut pas l'entendre. Il sauta dans le jardin et se dirigea droit sur Plume, avec des battements de queue menaçants. Lou, inquiète, sortit de sa chambre et dévala l'escalier. Plume semblait si petite et si fragile comparée à cette grosse brute! Elle avait besoin d'aide!

Chapitre 8

Mais en ouvrant la porte du jardin, Lou vit que quelqu'un avait été plus rapide qu'elle. Un éclair de fourrure grise traversa le jardin... et Lou ouvrit de grands yeux en comprenant que c'était Ficelle, qui volait au secours de Plume.

Stupéfaite, elle vit la vieille chatte charger Nero avec un sifflement féroce, le poil hérissé. Encore plus incroyable, en voyant Ficelle foncer droit sur lui, le gros chat escalada le mur en toute hâte et disparut.

En arrivant au niveau de Plume, Ficelle ralentit et reprit une allure plus digne. Au passage, elle lui donna un petit coup de langue, comme pour l'assurer qu'elle n'avait plus rien à craindre.

Lou, toute fière, alla caresser la vieille chatte pour la féliciter de son courage.

– Bravo, Ficelle ! lui dit-elle en la grattant derrière les oreilles, comme elle aimait. Tu es héroïque, d'avoir volé au secours de Plume !

Elle n'en revenait toujours pas de ce qui s'était passé.

Plume s'approcha pour réclamer sa part de caresses, et pour une fois, la vieille chatte et le chaton se tinrent tranquilles. Elles se laissèrent câliner toutes les deux et se mirent même à ronronner. Lou en aurait bien fait autant !

Le lendemain, c'était samedi, et les six amies se retrouvèrent chez Mina pour la réunion du club des chatons. Toutes écoutèrent Lou avec de grands yeux quand elle raconta comment la vaillante Ficelle avait sauvé la petite Plume des griffes du vilain Nero.

– C'est un peu comme toi et Alex, finalement, déclara Mina en souriant. Vous passez votre temps à vous disputer, mais quand il y a un problème, chacun peut compter sur l'autre.

– Ça n'est pas faux, admit Lou, amusée. Même si mon frère est le roi des casse-pieds, s'il était menacé par un chat noir géant, je me précipiterais sans doute pour l'aider, comme Ficelle. Enfin... (elle plissa le nez) je crois ! Bien sûr, j'aurais peut-être envie de l'arroser d'abord au pistolet à eau...

Les autres éclatèrent de rire.

– En tout cas, c'est cool, remarqua Lili. Ça veut sûrement dire que Ficelle voit Plume comme quelqu'un de la famille, maintenant.

– Elles ne vont peut-être pas devenir les

meilleures amies du monde, dit Lou. Et il y aura sûrement encore des bagarres, en attendant que Plume se calme. Mais au moins, Ficelle a le réflexe de la défendre, et ça, c'est rassurant !

– Vive Ficelle ! lança Jade. Et je suis contente que Plume n'ait rien eu. Il leur arrive toujours de ces histoires, à nos chatons !

Elle gloussa, parce que Roméo, perché sur ses épaules, la chatouillait en jouant avec les perles de ses tresses.

– Ça n'arrête pas, confirma Chloé avec un grand sourire. Je me demande lequel des six va vivre la prochaine grande aventure.

– Je préférerais que ce ne soit pas Roméo, intervint Mina. Il en a déjà eu assez comme ça.

Pile à cette seconde, Roméo, qui jouait avec les cheveux de Jade, perdit brusquement l'équilibre et dégringola sur ses genoux. Il se releva en clignant des paupières d'un air un peu perdu.

– Oh, Roméo, dit Jade en le caressant, qu'est-ce qu'on vient de dire ? Tu devrais écouter un peu ta maîtresse !

Le chaton émit un petit miaulement qui ressemblait à un « non ! » effronté et sauta par terre. Il traversa la pièce en sautillant, les yeux luisants, visiblement à la recherche d'un nouveau jeu.

– On n'en a sûrement pas fini avec les aventures, prédit Lou. Mais c'est bien pour ça qu'on les aime !

Miaou, fit de nouveau Roméo. Mais cette fois, il avait l'air bien d'accord avec elle.

TABLE DES MATIÈRES